S0-AJE-540

La nouvelle imagerie des enfants

Conception :
Émilie Beaumont

Images de :
C. Hus-David - Y. Barbetti - Héliadore - C. Galinet - B. Le Sourd -
M. Loppé - F. Merlier - G. Monjaret - A. Riquier - C. Siegel
Agences : Inklink - M.I.A., Betti Ferrerro

Illustrations des doubles pages :
M. A. Didierjean - B. Le Sourd

EDITIONS FLEURUS

ÉDITIONS FLEURUS. 15-27, rue Moussorgski, 75018 PARIS

Que peut-on mettre
sur le pain pour le goûter ?

Que prépare-t-on
en faisant cuire des fruits
avec du sucre ?

du beurre

du sucre

un pot de confiture

du chocolat

du café moulu

Qu'est-ce qui est bon mais fait mal aux dents si on en mange trop ?

Que mange-t-on avec une petite cuillère ?

un yaourt

un petit-suisse

un œuf

un coquetier

des sucettes

des bonbons

du lait

Que peut-on acheter
chez le charcutier ?

Que trouve-t-on
chez le boulanger ?

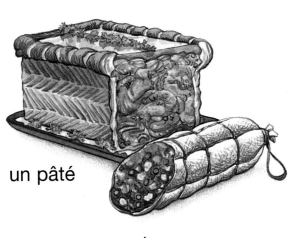

un pâté

un saucisson

du pain

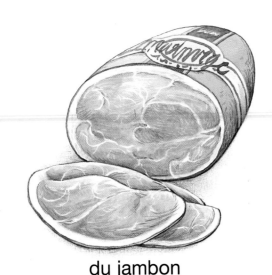

du jambon

des pâtes

Que peut-on faire avec des pommes de terre ?

Montre deux coquillages que l'on trouve au bord de la mer.

de la purée

un poisson

des frites

un hamburger

une huître

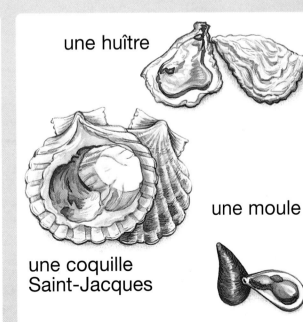

une moule

une coquille
Saint-Jacques

Que peut-on choisir chez le boucher ?

Que mange-t-on avec du sucre et de la confiture ?

un rôti de bœuf

un poulet

des fromages

un sandwich

une tartine

des crêpes

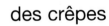

une gaufre

Qu'est-ce qui est froid, délicieux et sucré ?

Quelle pâtisserie se fait souvent avec des fruits ?

des glaces

des biscuits

des céréales

une tarte

Que cueille-t-on
sur un pied de vigne ?

Quels fruits peut-on
presser pour faire du jus ?

un gâteau

un citron

une orange

du raisin

12

Quel est le fruit du poirier,
du pêcher, du pommier,
du prunier ?

Avec le jus de quel fruit
fait-on le cidre ?

une poire

une pêche

une pomme

des prunes

13

Quel fruit pousse
sur le mandarinier ?

Quel fruit ne pousse pas
sur un arbre ?

un abricot

un melon

une mandarine

un pamplemousse

14

Quels fruits poussent dans les pays très chauds ?

Quels fruits sauvages cueille-t-on au bord des chemins ?

un ananas

des mûres

une banane

des framboises

Dans quel fruit trouve-t-on un noyau ?

Quel est le fruit préféré des écureuils ?

des cerises

des groseilles

une fraise

des noisettes

Quel fruit se cache dans une coquille très dure ?

Quel légume peut se manger avec les doigts ?

une noix

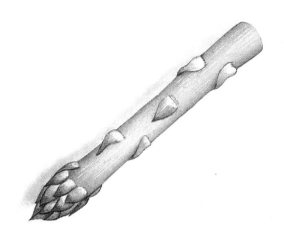

une asperge

des olives

un poireau

Quel légume du jardin
est violet ?

Quels légumes coupe-t-on
le plus souvent en
rondelles pour les manger ?

une courgette

un poivron

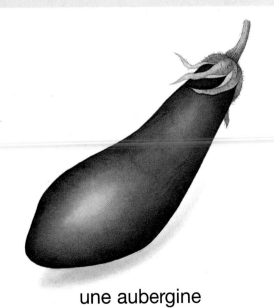

une aubergine

un concombre

Avec quel légume fait-on des frites ?

De quel légume mange-t-on la partie charnue des feuilles ?

une pomme de terre

une tomate

une carotte

un artichaut

Quel légume a des grains jaunes tous serrés les uns contre les autres ?

Quel légume met-on dans un bocal avec du vinaigre ?

un épi de maïs

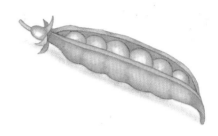

des petits pois

une citrouille

un cornichon

Quels légumes ont des grosses feuilles vertes ?

Quel légume petit, rose et blanc se mange cru ?

un chou-fleur

une salade

un chou

un radis

Dans le jardin

Amusons-nous à retrouver le plus de choses possible

Quel légume fait pleurer
quand on l'épluche ?

Qu'est-ce qui pousse
dans une champignonnière
ou dans les bois ?

un oignon

des fines herbes

de l'ail

des champignons

Sur quoi s'amuse-t-on
à glisser ?

Peux-tu montrer
un trapèze, des anneaux
et une balançoire ?

une maison

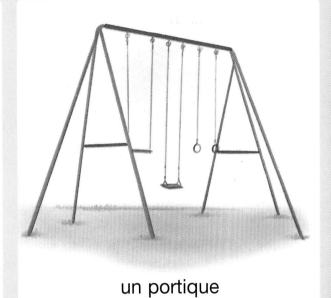

un portique

un toboggan

un banc

Que peut-on utiliser pour attraper des objets placés très haut ?

Dans la cuisine, où range-t-on la vaisselle ?

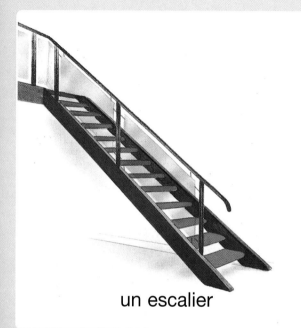

un escalier

des placards

une échelle

un escabeau

Pour conserver
les aliments au frais,
où doit-on les ranger ?

Dans quoi lave-t-on le
linge de toute la famille ?

un aspirateur

un lave-linge

un réfrigérateur

un lave-vaisselle

Dans quoi fait-on cuire
des gâteaux ou
de la viande?

Dans quoi prépare-t-on
le café du petit-déjeuner ?

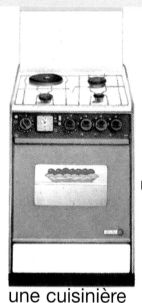

un four

une cuisinière

un robot ménager

un évier

une cafetière électrique

Quel appareil utilise-t-on pour faire cuire et dorer les frites ?

Dans quoi fait-on cuire le bifteck ?

un grille-pain

des casseroles

une friteuse

une poêle

Qu'est-ce qui donne
de jolies formes
aux gâteaux ?

Dans quoi fait-on chauffer
les aliments surgelés ?

une cocotte

une Cocotte-Minute

des moules à gâteaux

un four à micro-ondes

Que pose-ton sur la table
quand on met le couvert ?

Dans quoi met-on
la sauce pour l'apporter
à table ?

un verre

une assiette

une petite cuillère

une grande cuillère

une fourchette

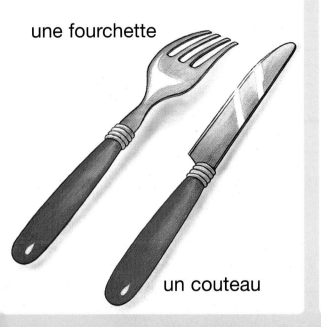

un couteau

une saucière

un plat

Dans quoi sert-on la soupe et qu'utilise-t-on pour la verser dans les assiettes ?

Dans quoi prend-on son petit-déjeuner, le matin ?

un saladier

un bol

une tasse

une louche

une soupière

une théière

Dans quoi transporte-t-on
les commissions ?

Dans quoi met-on
le poivre et le sel ?

un panier

des bouteilles

une passoire

un écumoir

un moulin
à poivre

une salière

Avec quoi ouvre-t-on une bouteille ?

Qu'utilise-t-on pour allumer le gaz ?

un entonnoir

une pelote de ficelle

un bouchon

un tire-bouchon

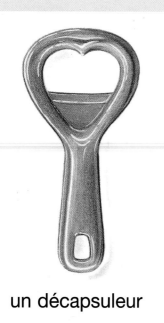

un décapsuleur

un allume-gaz

une allumette

Que faut-il pour repasser le linge ?

Dans quoi jette-t-on les ordures ?

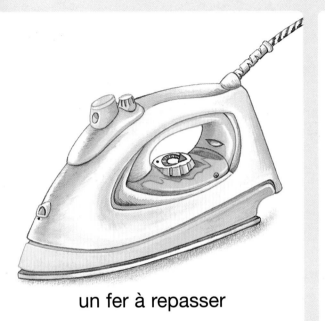

un fer à repasser

un balai

une pelle

une table à repasser

une poubelle

Que met-on sur la table pour faire joli ?

Qu'utilise-t-on pour ranger les bouteilles ?

des serviettes

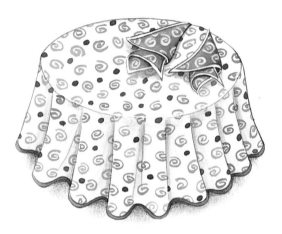

une nappe

un seau

une cuvette

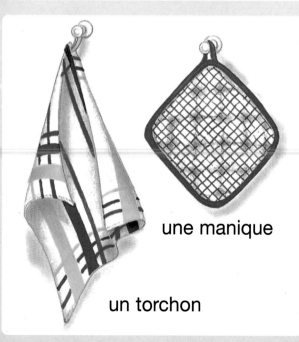

une manique

un torchon

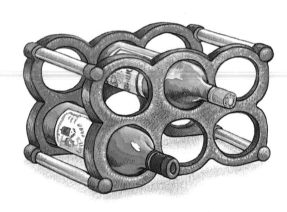

un casier à bouteilles

Qu'est-ce qui est accroché au mur et indique l'heure ?

Sur quoi peut-on s'asseoir et qui possède un dossier ?

une pendule

une chaise

une lampe   une ampoule

un tabouret

Dans quel meuble range-t-on les livres ?

Où peut-on s'asseoir pour se reposer ?

une table

un fauteuil

une bibliothèque

un canapé

Qu'est-ce qui donne de la chaleur dans une pièce ?

Dans quoi range-t-on les jouets ?

un radiateur

une commode

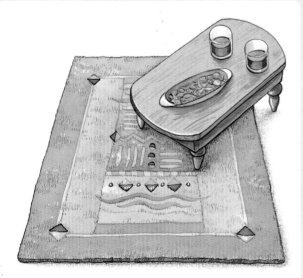

un tapis

un coffre à jouets

Que faut-il dans un lit
pour bien dormir ?

Dans quel meuble
range-t-on les vêtements ?

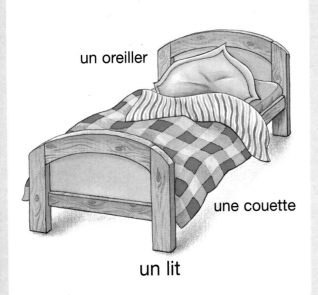

un oreiller

une couette

un lit

une armoire

une table de chevet

un bureau

Sur quoi assied-on bébé pour qu'il fasse pipi ?

Qu'utilise-t-on pour se coiffer et faire une raie bien droite ?

un cintre

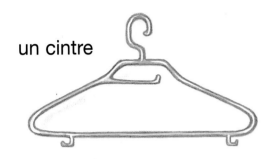

une brosse à habits

un gant de toilette

une serviette de toilette

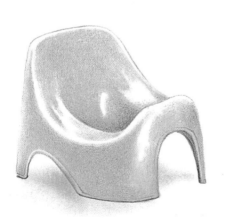

un pot de chambre de bébé

une brosse à cheveux

un peigne

Avec quoi se lave-t-on
les dents tous les matins ?

Qu'utilise-t-on pour
se laver les mains ?

une brosse à ongles

un coupe-ongles

du savon liquide

une brosse à dents

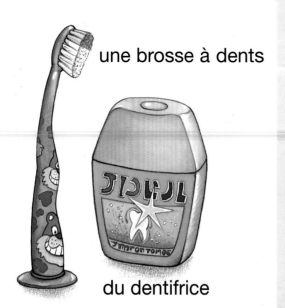

du dentifrice

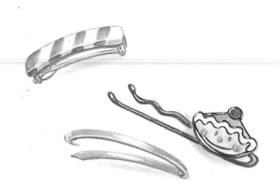

des barrettes

Qu'est-ce qui mousse beaucoup quand on se lave les cheveux ?

Avec quoi prend-on sa température quand on est malade ?

du shampooing

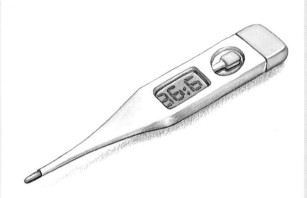

un thermomètre médical

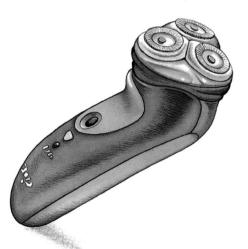

un rasoir électrique

un séchoir à cheveux

Où range-t-on les affaires de toilette ? Dans quoi prend-t-on un bain ?

une armoire de toilette

un lavabo

un séchoir à linge

une baignoire

Que trouve-t-on dans une salle de bains ?

Quel appareil indique le poids quand on se pèse ?

une cuvette de w.-c.

une armoire à pharmacie

une douche

un pèse-personne

Dans la chambre

Amusons-nous à retrouver
le plus de choses possible

Dans quoi peut-on lire de belles histoires ?

Dans quoi met-on une lettre avant de la poster ?

un journal

une lampe de poche

un livre

une enveloppe

Qu'est-ce qui sert à ouvrir
ou à fermer les serrures
des portes ?

Qu'est-ce qui sonne
et qui permet de parler
à quelqu'un qui est loin ?

des clés

un tableau

un vase

un téléphone fixe

un téléphone portable

Qu'est-ce qui nous réveille en musique le matin ?

Dans quoi met-on les vêtements pour partir en voyage ?

un radio-réveil

un aquarium

une cage

une valise

Avec quels jeux construit-on des tours et des châteaux ?

Quel est le jouet préféré des petites filles ?

un jeu de petits chevaux

une poupée

des cubes

une peluche

un cheval à bascule

un tricycle

une trottinette

des marionnettes

55

Avec quoi fait-on tomber les quilles ?

Que met-on à ses pieds pour aller vite ?

une boule

des quilles

des rollers

des billes

un jeu de fléchettes

Qu'utilise-t-on pour
donner à manger
à la poupée ?

Quel jeu est fait d'une
image découpée
en morceaux ?

un ballon

un puzzle

une dînette

un album

Sur quoi trouve-t-on un cœur, un carreau, un trèfle ou un pique ?

Qu'est-ce que l'on fait voler dans le ciel quand il y a du vent ?

des cartes à jouer

un seau

une pelle

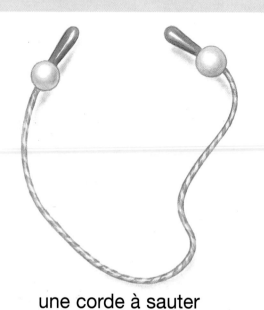

une corde à sauter

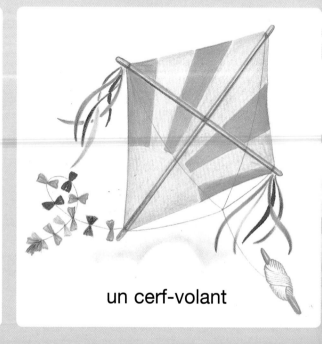

un cerf-volant

Dans quoi met-on
ses cahiers, ses livres et sa
trousse pour aller à l'école ?

Avec quoi fait-on
de beaux dessins ?

un cartable

un crayon

une trousse

des crayons de couleur

Avec quoi peut-on
mesurer et tirer des traits ?

Qu'est-ce qui efface
le dessin au crayon
sur le papier ?

un crayon-feutre

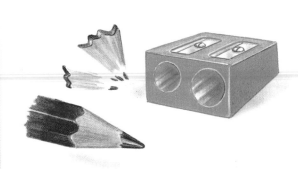

une gomme

une règle

un taille-crayon

Avec quoi écrit-on
sur une ardoise ?

Que faut-il pour peindre
un dessin en couleurs ?

une ardoise

un cahier

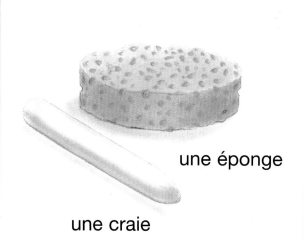

une éponge

une craie

un pinceau

une boîte de peinture

Quel outil de bureau grossit les objets afin de mieux les voir ?

Dans quoi promène-t-on les petits enfants ?

une loupe

un parc

un stylo-plume

une poussette

Dans quoi couche-t-on les bébés pour qu'ils soient bien à l'abri quand on sort ?

Dans quoi assoit-on le bébé pour lui donner à manger ?

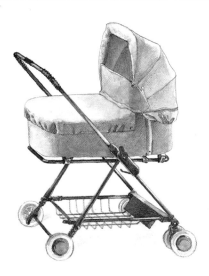

un landau

un lit de bébé

un couffin

un relax

Dans quoi verse-t-on
le lait pour donner
à manger aux bébés ?

Que met-on aux bébés
plusieurs fois par jour
pour qu'ils soient au sec ?

un mobile

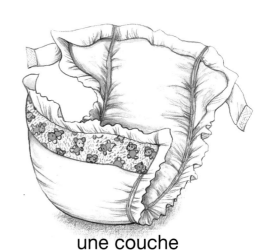

une couche

un biberon

un body

Que met-on au bébé pour protéger ses vêtements, quand il mange ?

Que portent les petites filles la nuit pour dormir ?

une serviette de bébé

des chaussons de bébé

un pyjama de bébé

une chemise de nuit

Que portent les garçons
pour dormir ?

Quel vêtement porte-t-on
en sortant de son bain ?

un peignoir en éponge

une robe

un pyjama

un pantalon

Quel vêtement porte
le sportif après avoir
couru ?

En hiver, quand il fait froid,
que met-on pour sortir ?

une jupe

un manteau

une salopette

un survêtement

S'il fait frais, que met-on par-dessus sa chemise ?

En hiver, sous la neige, que met-on pour avoir chaud ?

un pull-over

un anorak

un gilet

un coupe-vent

Que portent les filles sous leur jupe et les garçons sous leur pantalon ?

À la piscine ou au bord de la mer, que met-on pour se baigner ?

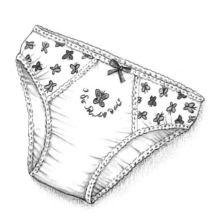

une culotte

un short

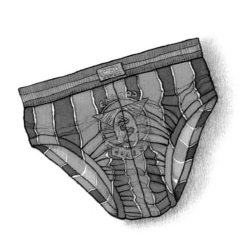

un slip

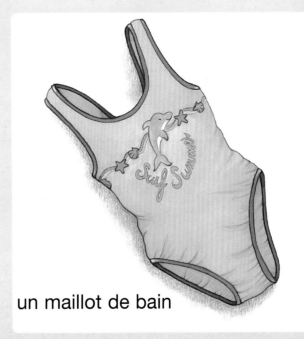

un maillot de bain

Quand il pleut,
que porte-t-on pour
ne pas être mouillé ?

Qu'enfile-t-on à ses pieds
avant de mettre
ses chaussures ?

un tee-shirt

un imperméable

une chemise

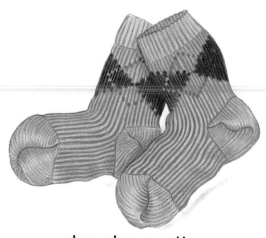

des chaussettes

Que met-on sur sa tête et autour de son cou quand il fait froid ?

Que met-on à ses mains pour se protéger du froid ?

un bonnet

une écharpe

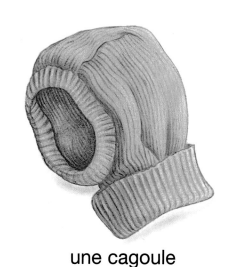

une cagoule

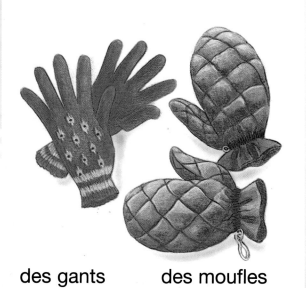

des gants   des moufles

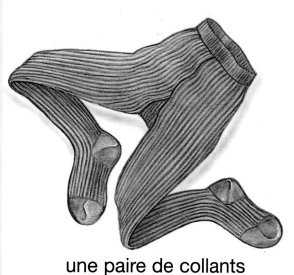

une paire de collants

Que porte-t-on
à ses pieds quand on est
dans la maison ?

Quand il pleut, qu'est-il
recommandé de mettre
avant de sortir ?

des baskets

des bottes

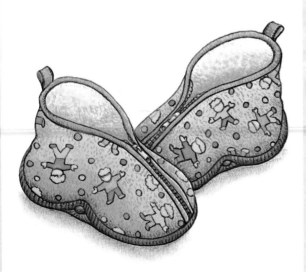

des chaussons

des chaussures

Pour maintenir son pantalon, que glisse-t-on dans les passants ?

Qu'emporte-t-on dans sa poche quand on est enrhumé ?

une casquette

un mouchoir en papier

des bretelles

une ceinture

Dans le parc

Amusons-nous à retrouver le plus de choses possible

Quel bijou attache-t-on
autour de son cou ?

Qu'est-ce qui se porte
au poignet
et indique l'heure ?

un collier

des boucles
d'oreilles

des bagues

une alliance

des bracelets

une montre

Qu'emporte-t-on pour écouter de la musique en se promenant ?

Dans quel appareil place-t-on une cassette pour écouter de la musique ?

un disque compact

une chaîne hi-fi

un baladeur

une radio-cassette

Avec quel appareil filme-t-on des choses et des gens ?

Pour faire des photos, que doit-on utiliser ?

une caméra

un appareil photo

un magnétoscope

un ordinateur

Avec quel appareil peut-on jouer à des jeux vidéo ?

Quand on ne sait pas nager, que prend-on pour aller dans l'eau ?

une console de jeux

un parasol

un poste de télévision

une bouée

Avec quoi peut-on glisser sur la neige ?

Que prend-on pour monter en haut de la montagne sans marcher ?

des skis

des bâtons de skis

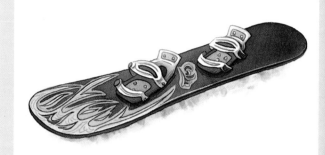

une planche de surf

une luge

un téléphérique

Q'utilise-t-on pour jouer
au tennis ?

Avec quoi pêche-t-on
les poissons de la rivière ?

des raquettes de ping-pong

une balle
de ping-pong

une tente de camping

une balle
de tennis

une raquette de tennis

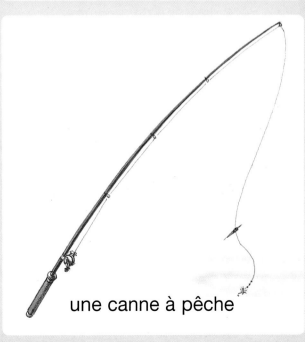

une canne à pêche

Qu'est-ce qui avance
sur l'eau grâce à la force
du vent ?

Quels petits bateaux
fait-on avancer
avec des rames ?

une planche à voile

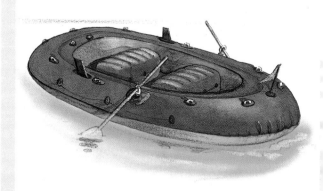

un canot pneumatique

un voilier

des rames

une barque

82

Avec quoi vole-t-on dans les airs comme un oiseau ?

Qu'utilise-t-on pour regarder quelque chose qui se trouve très loin ?

un parachute

un sac à dos

un deltaplane

des jumelles

Quel instrument à plaques de métal frappe-t-on avec des baguettes ?

Quel instrument a un clavier avec des touches blanches et noires ?

un archet   un violon

un orgue électronique

une guitare

un xylophone

Quels instruments produisent de la musique quand on souffle dedans ?

De quel outil se sert-on pour retourner la terre du jardin ?

un tambourin

une trompette

une flûte

une bêche

Dans quoi transporte-t-on
la terre du jardin ?

Quand l'herbe est haute,
quelle machine utilise-t-on
pour la couper ?

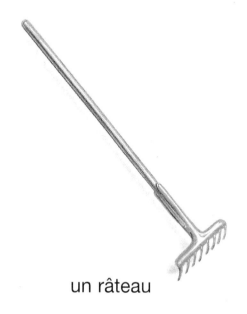

un râteau

une tondeuse

une brouette

un sécateur

Dans quoi transporte-t-on
l'eau avec laquelle
on arrose ?

De quel outil se sert-on
pour arracher les clous ?

un arrosoir

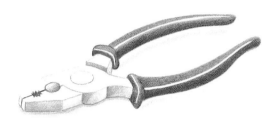

une pince

un marteau

des tenailles

Qu'est-ce qui permet de fixer les vis ?

Quelle machine électrique permet de faire des trous dans les murs ?

un tournevis

 un clou

 une vis

 un écrou

une vrille

une perceuse

Avec quels outils coupe-t-on du bois ?

De quoi se sert-on pour connaître la dimension des objets ?

une scie

un mètre à ruban

une hache

un niveau

Qu'est-ce que l'on utilise pour coudre un bouton sur un vêtement?

Avec quoi coupe-t-on le papier, le fil ou le tissu ?

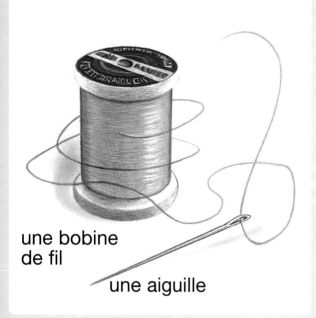

une bobine de fil

une aiguille

une épingle de sûreté

un bouton

une paire de ciseaux

un dé à coudre

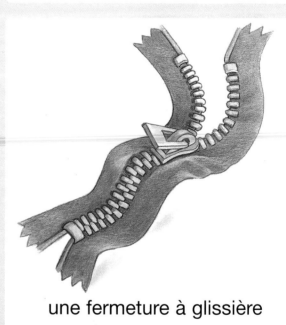

une fermeture à glissière

De quoi a-t-on besoin pour faire un beau pull-over ?

De quelle couleur doit être le feu pour qu'un piéton puisse traverser la route ?

une pelote de laine

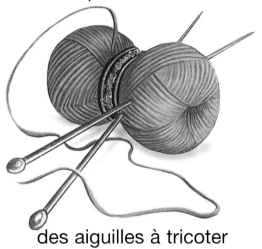

des aiguilles à tricoter

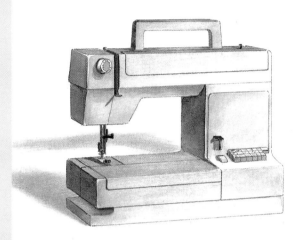

une machine à coudre

un canevas

un feu tricolore

Quel véhicule permet de transporter beaucoup de gens en même temps ?

Quel est le camion qui peut transporter de l'essence ?

une voiture

un camion

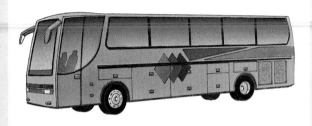

un autocar

un camion-citerne

Avec quel type de vélo fait-on des promenades en forêt ?

Avec quoi protège-t-on sa tête en moto ou en scooter?

un vélo tout terrain (VTT)

un scooter

une moto

un casque

Avec quoi gonfle-t-on les pneus de la bicyclette ?

Quel engin soulève les lourdes charges sur un chantier ?

une pompe à vélo

une grue

un pneu

une pelle mécanique

Quelle machine
l'agriculteur utilise-t-il
pour couper le blé ?

Que peut-on accrocher
à la voiture pour partir
en vacances ?

un bulldozer

une caravane

une moissonneuse-batteuse

un tracteur

Qu'est-ce qui roule très vite sur des rails ?

Qu'est-ce qui vole très haut dans le ciel et transporte des passagers ?

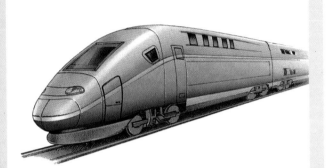

un train

un hélicoptère

un bateau

un avion

À bord de quel appareil les hommes sont-ils allés sur la Lune ?

Qu'est-ce qui brille dans le ciel quand il fait nuit et qu'il n'y a pas de nuages ?

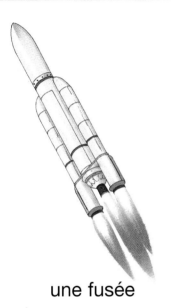

une fusée

le soleil

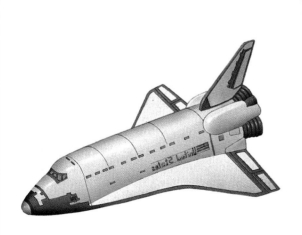

une navette spatiale

des étoiles

la lune

Les transports

Amusons-nous à retrouver le plus de choses possible

Après la pluie, qu'est-ce que l'on voit parfois dans le ciel ?

Qu'est-ce qui apparaît sur les branches des arbres quand le printemps arrive ?

un arc-en-ciel

un arbre

un feu

des feuilles

une branche d'arbre

En automne, qu'est-ce qui se cache dans une coque très piquante ?

Qu'est-ce qui a le nom d'un fruit mais ne se mange pas ?

des châtaignes

des marrons

une pomme de pin

des glands

Qu'est-ce qui décore
les tables de Noël et
qui est très piquant ?

De quelle couleur est
la fleur de la jonquille ?

une rose

un bleuet

du houx

une jonquille

Quelle est la fleur rouge
qui pousse en été
au bord des chemins ?

Avec quelle fleur joue-t-on
à « je t'aime... un peu...
beaucoup... » ?

un coquelicot

une marguerite

un bouton d'or

une tulipe

Quelles sont les fleurs que l'on achète habituellement pour embellir les balcons ?

Quelle est la première fleur qui apparaît au printemps ?

un pétunia

un géranium

une primevère

un œillet

Quelle est la couleur
de la pensée représentée
ci-dessous ?

Quelle fleur trouve-t-on
souvent au milieu
du gazon ?

une anémone

une capucine

une pensée

des pâquerettes

Quelle est la fleur qui porte bonheur et que l'on offre au 1er Mai ?

Quelle est la fleur jaune qui fleurit en hiver dans certaines régions ?

des violettes

une branche de mimosa

un brin de muguet

une jacinthe

Quelle plante est verte, couverte de piquants et n'a pas besoin d'eau ?

Quel est l'oiseau qui est souvent sur un perchoir et qui parle beaucoup ?

un iris

un chardon

un cactus

un perroquet

Quel est l'oiseau qui chante dès le lever du jour ?

Quel oiseau fait souvent son nid sous les toits ?

un corbeau

un moineau

un merle

une hirondelle

De quel oiseau dit-on qu'il est bavard ?

Quel oiseau porte un beau plumage rouge sous le bec ?

une pie

un rouge-gorge

une mouette

un pigeon

Quel est l'oiseau
qui dort le jour
et se réveille la nuit ?

Quel animal se déplace
sans pattes et rampe
sur le sol ?

un aigle

un crocodile

un hibou

un serpent

Quelle différence y a-t-il entre un chameau et un dromadaire ?

Quel animal adore manger du miel et des poissons ?

un chameau

un ours

un panda

un dromadaire

Quel animal fait souvent
des grimaces ?

Quels animaux font partie
des fauves ?

une panthère

un lion

un tigre

un singe

Quel animal a
quatre pattes
et un très long cou ?

Quel est le plus lourd des
animaux qui a de grandes
défenses blanches ?

une girafe

un éléphant

un hippopotame

un rhinocéros

Quel animal a une poche
sur le ventre pour y
transporter son petit ?

Quel animal ressemble
à un cheval en pyjama
à rayures ?

un kangourou

une gazelle

un zèbre

une autruche

Quel oiseau blanc et noir ne vole pas et utilise ses ailes comme nageoires ?

Quel animal marin est plus gros et plus lourd qu'un camion ?

un manchot

une baleine

un dauphin

un phoque

Quels sont les animaux
à pinces qui se déplacent
au fond de la mer ?

Que pêche-t-on avec
une épuisette au bord
de la mer ?

un homard

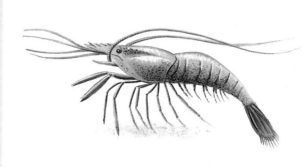

une crevette

un crabe

un cygne

Quel grand oiseau fait son nid sur le haut des cheminées ?

Quel animal à la queue plate construit des barrages sur la rivière ?

une cigogne

un castor

une grenouille

un cobaye (cochon d'Inde)

Quel est le petit animal
qui adore grignoter
du gruyère ?

Quel animal aime la pluie
et porte une coquille
sur son dos ?

une souris

un escargot

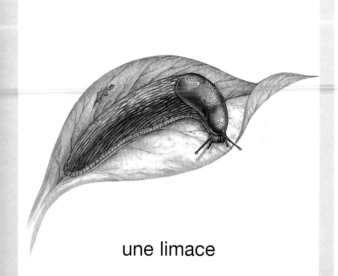

une limace

une tortue

Quel animal
aime beaucoup
se chauffer au soleil ?

Quel est le petit animal
que l'on appelle aussi
« bête à bon Dieu » ?

un ver de terre

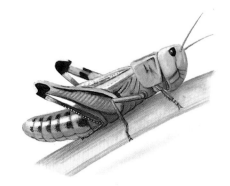

une sauterelle

un lézard

une coccinelle

Quel animal
était une chenille
avant de savoir voler ?

Quel insecte
fait du bruit en volant
et pique souvent ?

une fourmi

une mouche

un papillon

un moustique

Quel insecte habite
dans une ruche
et fabrique du miel ?

Quel insecte tisse une toile
pour capturer ses proies
et les manger ?

une guêpe

une araignée

une ruche

une abeille

une libellule

Quel animal aime grignoter des noisettes et grimper aux arbres ?

Quel animal aux grandes oreilles court très vite dans les prés ?

une chenille

un lapin

un lièvre

un écureuil

Comment s'appellent
les parents du faon ?

De quel animal dit-on
qu'il est très rusé ?

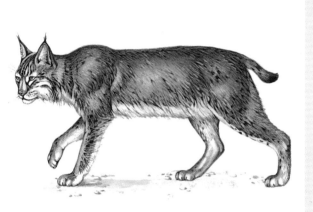

un lynx

une biche

un faon

un cerf

un renard

Quel animal ressemblant à un chien vit dans la forêt ?

Quel gros animal de la forêt cherche des glands en raclant le sol ?

un hérisson

un loup

un sanglier

un chien

Quel animal dit têtu
transporte de lourdes
charges sur son dos ?

Quels sont les animaux
qui aiment barboter
dans la mare ?

un chat

un âne

un caneton

une cane

un canard

Quel est le petit de la poule et du coq ?

Quel animal chante tôt et réveille toute la ferme ?

une oie

une poule

un poussin

un dindon

un coq

Quels sont les animaux qui donnent du lait ?

Quel animal tout rose est souvent recouvert de boue ?

une chèvre

une vache

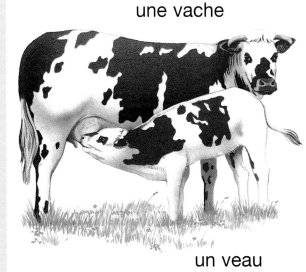

un veau

un cochon

un taureau

Grâce à quel animal porte-t-on des pull-overs bien chauds ?

des moutons

un bélier

un agneau   une brebis

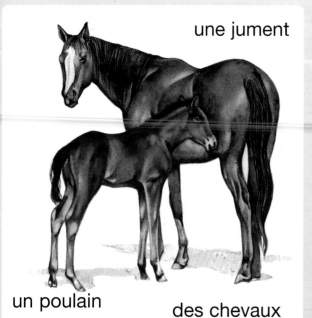

une jument

un poulain

des chevaux

LISTE ALPHABÉTIQUE

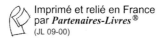

Imprimé et relié en France
par *Partenaires-Livres* ®
(JL 09-00)

ISBN 2.215.063.36.X